PLEINS FEUX SUR

Les insectes

Jane Parker – Christine Leplae-Couwez

Gamma Jeunesse – Éditions Héritage

INTRODUCTION

Les insectes sont apparus voici quelque 370 millions d'années. Ils pullulaient dans les forêts de la période carbonifère et furent les premiers êtres à voler. Parce qu'ils pollinisent les fleurs et sont aussi des vecteurs de maladies, ils ont une influence fondamentale sur notre vie.

Les insectes sont plus nombreux que tous les autres animaux réunis. Par ailleurs, dès que leur habitat est détruit, ils disparaissent plus vite que toute autre espèce. Ce livre te permettra de découvrir le monde des insectes et élargira ton champ de connaissances en suivant leurs traces dans la géographie et la littérature, les mathématiques et la science, l'histoire et les arts. Les légendes ci-dessous t'indiquent comment ce livre a été conçu.

L'édition originale de cet ouvrage
a paru sous le titre : *Insects*
Copyright © Aladdin Books Ltd, 1993
28 Percy Street, London W1P 9FF
All rights reserved

Adaptation française de
Christine Leplae-Couwez
Copyright © Éditions Gamma,
Paris-Tournai, 1995
D/1995/0195/22
ISBN 2-7130-1741-6
(édition originale :
ISBN 0-7496-0800-5)

Exclusivité au Canada :
Les éditions Héritage inc.
300, rue Arran
Saint-Lambert (Québec) J4R 1K5
Dépôts légaux : 2e trimestre 1995
Bibliothèque nationale du Québec
Bibliothèque nationale du Canada
ISBN 2-7625-8026-9

Loi n° 49-956 du 16 juillet 1949
sur les publications destinées à la jeunesse

Imprimé en Belgique

L'auteur, *Jane Parker*, est diplômée en zoologie
et a travaillé comme chercheur au zoo de Londres.
Elle travaille actuellement comme écrivain, chercheur
et lexicologue.

Le consultant, *George Else*, travaille au
département d'entomologie du musée d'Histoire
naturelle de Londres.

Géographie

Le symbole de la Terre marque les passages qui présentent des données et des activités géographiques. Tu apprendras notamment les longues distances parcourues par certaines espèces d'insectes migrateurs.

Langue et littérature

Un livre ouvert t'indique les activités et les informations qui ont trait à la langue et à la littérature. Tu y découvriras les expressions qui trouvent leur origine dans le monde des insectes.

Science et technologie
Le microscope indique des informations scientifiques. S'il est vert, le thème abordé a trait à l'environnement. Ces passages détaillent les aspects du comportement des insectes.

Histoire
Le parchemin et le sablier attirent l'attention sur les données historiques. Ces passages examinent comment différents insectes ont été nuisibles ou utiles à travers les âges. Des civilisations les ont même sacralisés.

Mathématiques
Les données et les activités relatives aux mathématiques sont symbolisées par la règle, le rapporteur et le compas. Tu apprendras notamment comment réaliser un tableau basé sur les cycles biologiques de différentes espèces d'insectes.

Arts, métiers et musique
Ce symbole signale les activités et les informations artistiques ou musicales. Des peintres et des sculpteurs ont tenté à travers les siècles de reproduire la beauté des insectes. Ce thème a également inspiré divers compositeurs.

SOMMAIRE

QUE SONT LES INSECTES?	4/5
LES CYCLES BIOLOGIQUES	6/7
L'ALIMENTATION	8/9
LES MODES DE DÉPLACEMENT	10/11
LES SENS	12/13
LES POISONS ET LES AIGUILLONS	14/15
LES PUNAISES	16/17
LES COLÉOPTÈRES	18/19
LES MOUCHES	20/21
LES PAPILLONS DIURNES ET NOCTURNES	22/23
LES ABEILLES ET LES GUÊPES	24/25
LES FOURMIS ET LES TERMITES	26/27
LES INSECTES ET LES HOMMES	28/29
CLASSIFICATION DES INSECTES	30
GLOSSAIRE	31
INDEX	32

QUE SONT LES INSECTES ?

Les insectes représentent 85% de tout le règne animal et constituent donc le plus grand groupe animal du monde. On en compte jusqu'à 10 000 par mètre carré de la surface terrestre. Il existe de nombreuses espèces d'insectes, mais toutes se caractérisent par une structure identique de leur corps leur permettant de s'adapter à tous les environnements possibles et de se nourrir de toutes sortes d'aliments. Tous les insectes adultes ont un corps segmenté divisé en trois parties : la tête, le thorax et l'abdomen.

La « peau » d'un insecte est faite d'une substance cornée, sèche : la chitine. Celle-ci forme une carapace dure, appelée squelette externe, qui protège les organes de l'insecte. Les muscles des pattes et des ailes sont ancrés dans ce squelette qui est imperméable et empêche le dessèchement du corps, mais ne permet pas le passage de l'air. De petits orifices dans la peau, les stigmates, mènent aux voies respiratoires, les trachées. Le squelette externe ne grandit pas. Quand un insecte grandit, il mue et attend qu'une autre carapace se forme. La couche superficielle, appelée cuticule, est tachetée et colorée pour permettre le camouflage ou effrayer les ennemis (voir pages 14-15).

Antennes
(pages 12-13)

Œil composé
(pages 12-13)

Pièces buccales
(pages 8-9)

Thorax

Six pattes
articulées
(pages 10-11)

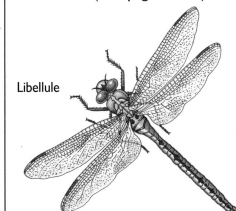
Libellule

Blatte

Locuste

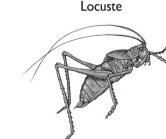
Pyrocorise

Conservés dans la pierre
Les insectes apparurent sur terre voici 370 millions d'années. Les premières espèces n'avaient pas d'ailes ; elles se nourrissaient de la sève et des spores des premières plantes terrestres. Les insectes furent les premiers êtres à conquérir les airs, 150 millions d'années avant le premier vol d'oiseau. Ci-contre, tu vois le fossile d'une libellule qui vécut il y a 300 millions d'années.

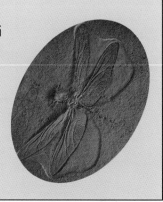

Tous les insectes possèdent trois paires de pattes articulées et la plupart ont quatre ailes. Nous avons représenté ci-dessus quelques insectes facilement reconnaissables. Tu trouveras une classification plus détaillée à la page 30.

Ailes
(pages 10-11)

Abdomen

Les stigmates
permettent
l'entrée de l'air.

Les insectes dans la Bible

La Bible relate de nombreuses histoires sur Samson, un héros à la force légendaire. Un de ces récits raconte que Samson tua un jeune lion qui l'avait menacé. Plus tard, il remarqua que des abeilles allaient et venaient autour du corps de l'animal et il y trouva du miel. Cette découverte lui inspira une énigme : « De celui qui mange est sorti ce qui se mange et du fort est sorti le doux. » Personne ne réussit à résoudre l'énigme. En réalité, ces insectes n'étaient probablement pas des abeilles mais des mouches qui se nourrissent de chair en putréfaction. L'origine du miel demeure un mystère !

**Samson découvre
les abeilles.**

La tête comporte un cerveau simple qui reçoit les messages des organes des sens et contrôle les muscles. Le thorax se compose de trois segments unis. Il est relié aux ailes et aux pattes. L'abdomen contient les organes chargés de la digestion et de la reproduction.

Coccinelle
à sept points
(coléoptère)

Mouche bleue
de la viande
(mouche)

Sphinx
du troène

Fourmi
charpentière

Les proches des insectes

Les insectes appartiennent à un groupe d'animaux appelés arthropodes. Ceux-ci possèdent un corps segmenté protégé par un squelette externe rigide et des pattes articulées. Mais les arthropodes illustrés ici ne sont pas des insectes. Les araignées possèdent huit pattes. Le corps des mille-pattes se compose de nombreux segments, chacun muni de pattes.

Mille-pattes

Araignée

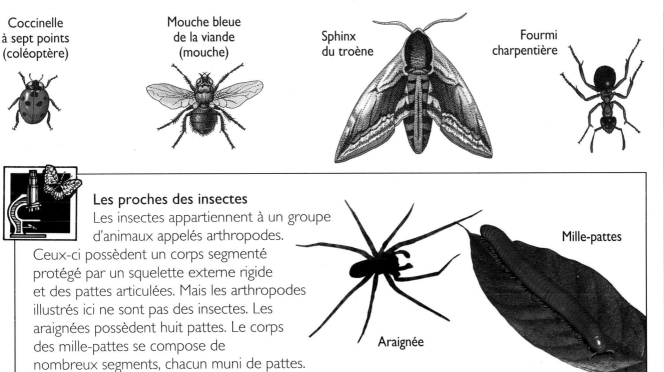

LES CYCLES BIOLOGIQUES

Les insectes sont ovipares (ils naissent dans des œufs). Les petits mangent autant de nourriture que possible afin de devenir adultes très rapidement. Ils muent à mesure qu'ils grandissent. Une fois adultes, leur objectif est de s'accoupler et de pondre des œufs. C'est ainsi que le cycle de la vie se perpétue. Au cours de leur évolution, les insectes subissent des métamorphoses. Chez les uns, le changement est progressif ; chez d'autres, il est spectaculaire : des œufs sortent les larves (chenilles, vers ou asticots) dont le régime alimentaire diffère de celui de leurs parents. Ces insectes passent donc le début de leur vie sous une forme totalement différente de leur forme adulte.

Le criquet se développe progressivement après l'éclosion et mue à mesure qu'il grandit (3).

Œuf

Adulte (imago : forme définitive)

Une métamorphose incomplète

Chez de nombreuses espèces, l'évolution est progressive. Les jeunes criquets qui viennent d'éclore ressemblent à de petits adultes sans ailes : ce sont des « nymphes ». En grandissant, ils muent chaque fois que leur peau devient trop petite. À chaque mue, ils ressemblent un peu plus à un adulte. Après leur mue finale, ils sont entiers, munis d'ailes et d'organes reproducteurs, prêts à s'envoler, à s'accoupler et à pondre. Cette évolution progressive est qualifiée de « métamorphose incomplète ». Les blattes, les punaises et les libellules connaissent également ce type d'évolution.

Les parents protecteurs
Chez les insectes, de nombreux parents sont très attentifs à leur progéniture. Les papillons pondent leurs œufs sur une plante qui servira à nourrir les larves. Les cynipidés choisissent une plante qui enveloppera la larve d'une galle protectrice. Certaines guêpes paralysent leur proie afin de la donner en pâture à leur progéniture. Les blattes femelles emportent leurs œufs partout avec elles jusqu'à ce qu'ils soient pratiquement éclos. Le perce-oreille femelle nettoie minutieusement ses œufs et ses petits.

L'observation des chenilles (3 mois)
L'été est la période idéale pour observer le cycle de développement d'un papillon comme la piéride du chou. Peut-être auras-tu la chance de trouver quelques œufs ou des chenilles. Place celles-ci, ainsi que les feuilles sur lesquelles tu les as trouvées, dans une boîte garnie de mousseline. Conserve la boîte dans un endroit frais et humide et remplace les feuilles chaque jour. Observe l'évolution des chenilles et compte le nombre de mues avant qu'elles deviennent chrysalides. Lorsque les papillons éclosent, regarde-les déployer leurs ailes en pompant du sang dans leurs veines. Laisse-les s'envoler.

Le cycle de développement du vulcain, comme celui de tous les papillons, se subdivise en quatre stades : œuf, chenille, chrysalide et, enfin, adulte.

Chenille
(larve)

Chrysalide
(pupe)

Les ichneumons, une espèce de guêpes, pondent sur une chenille vivante. Une fois écloses, les larves dévorent leur hôte. Les larves plus grandes pénètrent dans la peau de la chenille et se transforment en chrysalides.

Une métamorphose complète
Certaines espèces d'insectes subissent un changement spectaculaire lorsqu'elles passent de l'état de larve à l'état adulte. Sous forme de vers ou de chenilles, les petits ne ressemblent en rien aux insectes adultes. Ils mangent en permanence et muent dès que leur peau devient trop étroite. Finalement, ils se fixent dans un endroit sûr et s'y transforment en chrysalides. La chrysalide semble sans vie, mais, à l'intérieur, de nombreux changements se produisent : les pattes articulées et les antennes se forment, les ailes se développent. Enfin, elle éclate et un animal complètement différent en sort. C'est la « métamorphose complète ».

La durée de vie
Le vulcain passe 1 semaine à l'état d'œuf, 5 sous forme de chenille, 2 comme chrysalide et 39 en tant que papillon. Le graphique ci-dessous représente son cycle de vie. Sachant que le lucane, ou cerf-volant (voir pages 18-19), passe 2 semaines sous forme d'œuf, 156 comme chenille, 35 en tant que chrysalide et 4 à l'état adulte, quel sera son graphique ? Trouve le pourcentage que chaque stade représente en multipliant chaque nombre par 100 et en le divisant par le nombre total de semaines. Ensuite, multiplie chaque chiffre par 3,6 pour découvrir le nombre de degrés que cela représente sur un cercle. Indique ces degrés avec un rapporteur.

L'ALIMENTATION

Les insectes se sont adaptés à toutes sortes de nourritures. Certains se nourrissent de plantes, d'autres d'animaux. Certains sucent des jus, d'autres consomment des aliments solides. Beaucoup dévorent leur proie vivante, mais bien plus encore s'en repaissent morte. Certains ne mangent que du pollen ou du bois, des plumes ou du sang, voire des excréments. D'autres se mangent entre eux. Beaucoup se nourrissent d'êtres humains; en les piquant, ils leur injectent de minuscules organismes infectieux et répandent ainsi des maladies. Les insectes qui mangent ce que nous mangeons peuvent provoquer des famines. Ceux qui se nourrissent de matériaux de construction peuvent causer de graves dégâts.

Un insecte type a trois paires de pièces buccales. Les deux mandibules servent à saisir et à broyer les aliments. Les deuxième et troisième paires de pièces buccales sont les maxilles. La première porte parfois le nom de « dents ». La seconde est généralement soudée et constitue la lèvre inférieure (labium). La lèvre supérieure (labrum) recouvre les mandibules.

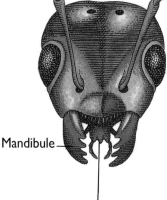

Fourmi

Mandibule

Labium

Mordre
Les muscles robustes des fourmis referment les mandibules et leur permettent de mordre des aliments consistants. Les palpes maxillaires et labiaux servent à goûter les aliments. Le labium et le labrum les mâchent et les entraînent dans la bouche.

Une chenille de papillon monarque dévore une feuille.

Les chaînes alimentaires
Les insectes constituent un lien très important dans les chaînes alimentaires, puisqu'ils mangent des plantes et sont à leur tour dévorés par d'autres insectes et de plus grands animaux. Dans les climats tempérés, lorsque le temps se réchauffe au printemps, des milliers d'œufs d'insectes éclosent en larves qui commencent à grandir. Ces larves rassasieront les nichées de merles et de rouges-gorges. Les hirondelles reviennent de leur long périple hivernal au moment même où la métamorphose s'achève. Les insectes adultes sont alors un festin de roi pour ces hirondelles (à droite) qui doivent nourrir leurs oisillons.

Les criquets nuisibles

En Afrique, les habitudes alimentaires des criquets pèlerins font de ces insectes les animaux nuisibles les plus craints. Ces criquets sont habituellement solitaires et de couleur triste. Mais lorsque les pluies commencent à tomber sur les savanes desséchées et que l'herbe pousse, ils se reproduisent rapidement et se parent de couleurs vives. Ils se rassemblent en une nuée, qui peut dévaster un champ de céréales en quelques minutes.

Papillon

Trompe spiralée

Moustique

Sucer

Les parties buccales du papillon sont adaptées à son alimentation: une trompe spiralée permet à l'insecte d'aspirer le nectar liquide des fleurs. Cette trompe reste enroulée entre deux repas.
La mouche (à gauche) asperge sa nourriture de sucs digestifs au moyen de sa trompe. Lorsque la nourriture est réduite en purée, la mouche l'aspire.

Mouche

Percer

Chez le moustique, la femelle pique la peau de certains animaux et de l'homme pour en sucer le sang. (Le mâle se nourrit du nectar des fleurs.) Ses mandibules se sont développées en tubes semblables à des aiguilles. L'insecte perce la peau grâce à son labium souple qui entoure cette « aiguille ». Puis il injecte dans sa proie des sucs digestifs avant d'aspirer son sang.

Mandibules

Les coléoptères « mangeurs de bois »

Le coléoptère xylophage femelle pond ses œufs dans des fentes de vieux bois mort. Le bois sert de nourriture aux larves. Ces vers à bois creusent des galeries dans le bois et s'y transforment en chrysalides. Quand tu vois des trous à la surface du bois, c'est que les adultes ont quitté leur abri. Des marchands reproduisent parfois de tels trous dans des meubles récents pour leur donner un aspect plus ancien et augmenter ainsi leur valeur.

Des insectes à manger

Les insectes sont nourrissants et considérés comme un véritable délice dans de nombreuses parties du monde. Les aborigènes d'Australie mangent les larves de certains papillons et des papillons de nuit adultes. En Afrique, la tarte aux moustiques est populaire et, en Asie, le criquet frit est très apprécié.

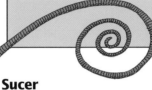

LES MODES DE DÉPLACEMENT

Les insectes ont colonisé la terre, l'air et l'eau douce. Leurs pattes et leurs ailes leur permettent de se déplacer sans problème dans ces divers environnements. La plupart des espèces possèdent deux paires d'ailes pour voler, planer et faire du surplace. Ces structures fragiles sont renforcées par des nervures. Chez les coléoptères, les deux ailes antérieures ont évolué en élytres, épais et cornés. Chez les mouches, les deux ailes postérieures sont devenues des organes de l'équilibre, des balanciers. Les six pattes des insectes sont dotées de muscles puissants permettant à l'animal de marcher, courir, sauter et nager. Certaines mouches sont capables de marcher au plafond grâce aux griffes et aux ventouses situées à l'extrémité de leurs pattes (voir pages 20-21).

Les muscles verticaux se contractent, les ailes se relèvent.

Les muscles horizontaux se contractent, les ailes s'abaissent.

Aile antérieure _____

Aile postérieure _____

Criquet

Battre des ailes

Des muscles horizontaux et verticaux sont fixés à l'intérieur du squelette rigide qui recouvre le thorax des insectes. Les muscles se contractent en alternance pour permettre aux ailes de battre. Lorsque les muscles verticaux se contractent, les surfaces supérieure et inférieure du thorax se rapprochent et les ailes se déplient. Lorsque les muscles horizontaux se contractent, les surfaces supérieure et inférieure sont écartées ; la partie supérieure reprend sa position initiale en émettant un déclic et les ailes se replient.

Une musique cadencée

« Le vol du bourdon » est une pièce musicale composée par Rimsky-Korsakov. Pour écrire ses opéras, ce compositeur russe s'inspirait des contes et des légendes populaires. Cette pièce musicale se caractérise par un tempo (ou allure) rapide, imitant le son produit par les ailes d'un bourdon qui butine de fleur en fleur.

Sur les traces des chenilles

La plupart des chenilles possèdent trois paires de pattes à l'avant de leur corps et quatre paires de fausses pattes dont les extrémités sont munies de ventouses. La chenille déplace une paire de pattes à la fois et répartit ainsi son poids sur les autres pattes, ce qui lui permet de surmonter les obstacles. Les « chenilles » des bulldozers sont conçues sur le même principe. Elles répartissent le poids du véhicule, permettant à l'engin de se déplacer sur des terrains glissants.

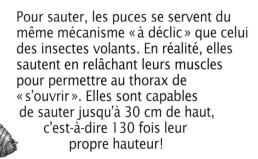

Pour sauter, les puces se servent du même mécanisme « à déclic » que celui des insectes volants. En réalité, elles sautent en relâchant leurs muscles pour permettre au thorax de « s'ouvrir ». Elles sont capables de sauter jusqu'à 30 cm de haut, c'est-à-dire 130 fois leur propre hauteur !

Chaque patte articulée se compose de plusieurs parties : la hanche (ou coxa), le trochanter, le fémur, le tibia et plusieurs tarses et griffes.

Des puces de compétition

Les puces sont vigoureuses et ont un bon sens de l'équilibre. À l'époque victorienne, on les harnachait de fins fils pour les faire participer à des courses dans des « cirques à puces ». En fait, les puces faisaient tout pour s'échapper.

Les migrations

Certains insectes migrent pour fuir le froid de l'hiver. Les papillons monarques détiennent le record de la plus longue migration, comme l'illustre le schéma ci-dessous. En septembre, ils quittent le Canada et s'envolent vers le sud pour arriver au Mexique. Ils parcourent jusqu'à 1 900 km, à raison de 130 km par jour. À la fin de leur périple, ils s'accrochent en grands essaims dans les pins et hibernent. Au printemps, ils retournent au Canada pour pondre leurs œufs sur une plante bien précise, le laiteron.

Tibia

Tarse

Griffe

Fémur

Les insectes nageurs

De nombreuses espèces d'insectes vivent dans l'eau (voir pages 16-17). Leurs pattes sont conçues pour la nage. Le dytique (à gauche) passe sa vie dans l'eau. Adulte, c'est un prédateur féroce. Il nage en ramant à l'aide de ses grandes pattes arrière. Il vole parfois d'un étang à l'autre.

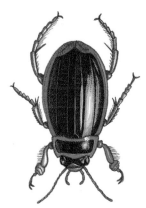

Trajet du papillon monarque — Limite au nord

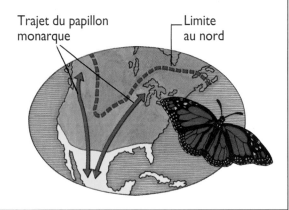

LES SENS

Les insectes perçoivent le monde qui les entoure grâce à la vue, à l'odorat, à l'ouïe, au goût et au toucher. Ils sont également sensibles aux rayons ultraviolets, au magnétisme et à la pesanteur, à la température et à l'humidité. Les organes sensoriels, permettant à l'espèce de percevoir au mieux la gamme de sensations la plus utile pour assurer sa survie, sont particulièrement développés. Les messages provenant de ces organes, captés par tout le corps de l'insecte, sont transmis le long de fibres nerveuses vers le cerveau élémentaire situé dans la tête. Les insectes ne « pensent » pas. Ils ont des réactions prédéterminées aux messages reçus des organes sensoriels pour s'alimenter, s'accoupler, pondre, attaquer ou fuir.

Des poils sensibles
La tête, le corps et les pattes de la mouche domestique, comme chez la plupart des insectes, sont couverts de poils, ou soies, sensibles aux vibrations de l'air.

Un œil composé
Chez la mouche, l'œil se compose de près de 4 000 facettes en forme de cônes ; chez l'abeille, il en comporte environ 5 000 et, chez la libellule, 30 000. L'œil de certaines fourmis n'en possède que 9.

Antenne

Les organes du goût se situent sur les pattes.

Les balanciers (ou haltères)
Les ailes postérieures servent de balanciers : elles vibrent pour stabiliser l'insecte et mesurent sa vitesse et la direction du vol.

La plupart des insectes ont des yeux simples, ou ocelles, qui perçoivent uniquement la lumière et les ombres. Certains ont aussi des yeux composés de centaines ou de milliers de facettes, chacune d'elles percevant une image légèrement différente. La plupart voient très clairement, en couleurs ; ils voient même dans l'obscurité. Les antennes sont les organes du toucher et de l'odorat. Ces appendices sont couverts de poils sensoriels attachés aux fibres nerveuses qui envoient des messages au cerveau chaque fois que le poil frôle quelque chose ou détecte une odeur. Les antennes sont aussi sensibles à l'humidité de l'air.

Les capteurs du goût se trouvent sur les pièces buccales et souvent sur les pattes. Certains insectes possèdent un tympan qui leur permet d'entendre les sons. D'autres sont dotés de poils sensibles aux vibrations de l'air produites par les sons.

Que voient les insectes ?
Les insectes voient différemment que d'autres animaux. Les oiseaux perçoivent le monde en couleurs, mais seul le centre de leur champ de vision est détaillé. Certains oiseaux, comme le faucon, repèrent leur proie à de grandes distances (ci-dessous). Chez le chat, la mise au point se fait sur une bande horizontale et centrale de la rétine de l'œil. Chaque facette de l'œil composé d'un insecte distingue uniquement ce qui se trouve juste devant elle. Le cerveau fusionne les images et construit une représentation en trois dimensions.

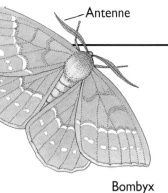

Antenne

Bombyx géant

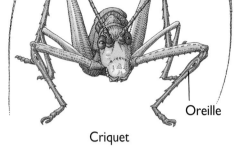

Oreille

Criquet

Abeille

Sous la lumière ultraviolette, les indicateurs (ou guides à miel) de la potentille apparaissent clairement.

Des sens particuliers

Certains insectes ont développé un sens particulier qui leur permet de survivre. L'abeille détecte la lumière ultraviolette et peut ainsi suivre les lignes spéciales, appelées indicateurs, qui apparaissent sur les pétales des fleurs pour guider les insectes vers le nectar. La femelle du bombyx géant produit d'infimes quantités d'une substance chimique odorante, appelée phéromone, pour attirer le mâle. Celui-ci possède de longues antennes capables de localiser la femelle à des kilomètres. Les criquets mâles « chantent » pour attirer les femelles : ils frottent ensemble les peignes spéciaux (grattoirs) qui ornent l'extrémité de leurs ailes. Ils possèdent un tympan sensible situé sur leurs pattes antérieures pour détecter le chant.

Les criquets dans la littérature

Autrefois, on trouvait souvent des criquets et des grillons à l'intérieur des maisons. Les gens pensaient qu'une catastrophe frapperait leur famille si les grillons arrêtaient leur chant. Dans *Les Contes de Noël*, Charles Dickens raconte comment le grillon du foyer joignit joyeusement sa voix à celle d'une bouilloire qui sifflotait dans la cheminée.

Jiminy est un criquet rendu célèbre par le film de Walt Disney *Pinocchio*, ce petit personnage en bois dont le nez s'allonge lorsqu'il ment. Ce film est basé sur le conte de Carlo Collodi (1883).

Vision de l'homme

Vision du chat

Vision de l'insecte

Vision de l'homme

LES POISONS ET LES AIGUILLONS

Les animaux utilisent du poison pour se défendre des prédateurs et pour maîtriser leur proie. Les insectes ne font pas exception à cette règle. La queue de certains est munie de dards toxiques, d'autres mordent à l'aide de leurs mâchoires empoisonnées. D'autres encore sont tout simplement entièrement venimeux. Les insectes qui utilisent du poison pour attraper leurs proies sont souvent passés maîtres dans l'art du camouflage. Ceux qui en utilisent pour se défendre sont généralement dotés de couleurs vives, souvent rouges ou jaunes et noires. D'autres ne sont pas venimeux mais imitent ceux qui le sont (voir page 22).

Le dard d'une abeille

L'abeille ouvrière sacrifie sa vie pour défendre la ruche. À l'extrémité de son abdomen se trouve un aiguillon acéré, constitué de deux stylets barbelés communiquant avec deux glandes à venin. Lorsque l'abeille pique, les barbelures font en sorte que le dard reste dans le corps de la victime pendant qu'elle injecte le venin dans la plaie. Mais cela signifie que, lorsque l'abeille se retire, l'extrémité de son abdomen se déchire, et elle meurt.

Système de pompe à venin

Poche remplie de venin

Glande à venin

Abeille ouvrière

Comment soigner une piqûre d'abeille?

Les abeilles et les guêpes ne piquent que quand elles se sentent menacées. Tu cours donc plus de risques en criant ou en gesticulant pour en chasser une. Si tu te fais piquer, retire le dard avec une pince à épiler en veillant à ne pas percer la poche contenant le poison. Les guêpes ne laissent pas leur dard dans la peau si on leur laisse le temps de le retirer.

Nettoie la peau avec un antiseptique. Un linge froid et humide soulagera la douleur. Les piqûres d'abeille et de guêpe ne sont dangereuses que dans la gorge, car le gonflement empêche la respiration, ou si la victime est allergique à ces piqûres.

Une arme fatale

Certains insectes ont un corps venimeux au goût épouvantable; cela leur assure une bonne défense contre les prédateurs qui les reconnaissent et ne les attaquent pas. Certains projettent un liquide brûlant, d'autres ont des poils irritants qui se fixent dans la peau de l'attaquant. Les larves du chrysomèle d'Afrique du Sud sont si toxiques que les aborigènes du Kalahari (à droite) les enfilent à l'extrémité de leurs flèches.

La jacobée est une herbe vénéneuse très commune dans les prés européens. Lorsque les chenilles du *Callimorpha vacobaeae*, un papillon nocturne, s'en nourrissent, elles emmagasinent la substance toxique que contient la jacobée. L'oiseau qui mangerait une de ces chenilles serait très malade. Avec leur corps strié de bandes jaunes et noires, ces chenilles signalent qu'elles sont toxiques. Après une mauvaise expérience, les oiseaux savent qu'ils doivent les laisser en paix.

Les insectes dans la médecine populaire

Le corps de la cantharide contient un fluide irritant que ce coléoptère utilise pour se défendre. Avant que les médicaments ne soient découverts, les médecins appliquaient ce fluide sur la peau des patients pour traiter les verrues. On pensait aussi que les ampoules que provoquait ce liquide chassaient les poisons du corps. Selon la croyance, le dard des abeilles guérissait des rhumatismes; on laissait donc les abeilles piquer les articulations enflammées des rhumatisants!

Les insectes et le langage

Diverses expressions évoquent les insectes. Ainsi, on dit qu'on « a le bourdon » quand on est mélancolique. On dira d'une personne laborieuse et économe qu'elle est une fourmi. Un « travail de termite » évoque un travail de destruction lent et caché. Quand on peut « entendre une mouche voler », cela signifie qu'il règne un profond silence. On dit aussi qu'on « a des fourmis dans les jambes » quand on ne tient pas en place. En anglais, on « a une abeille dans le bonnet » quand on a l'esprit dérangé. En français, cela donne « avoir une araignée au plafond »!

Les coléoptères chimistes

Le bombardier a recours à une réaction chimique spectaculaire comme arme contre les attaquants. Il dispose de chambres spéciales dans son abdomen où il stocke deux produits chimiques, chacun d'eux peu toxique en soi. Lorsqu'il se sent menacé, il mélange ces produits, dans une autre chambre, avec une enzyme qui favorise la réaction. Un jet rapide, brûlant et toxique, jaillit de l'extrémité de son abdomen. Le coléoptère dirige ce jet en tournant son abdomen vers sa victime. Ces produits chimiques brûlants provoquent de douloureuses ampoules.

LES PUNAISES

Les punaises appartiennent à l'ordre des hétéroptères. Elles partagent une caractéristique commune : elles piquent la plante ou l'animal dont elles se nourrissent et aspirent la sève ou le sang à l'aide de pièces buccales formant une trompe allongée : le rostre. Les ailes antérieures de nombreuses punaises sont à demi transformées en élytres, l'un dur et l'autre fragile et transparent. Les punaises font partie du superordre des hémiptéroïdes (demi-ailes). Les cigales et les insectes à écailles appartiennent tous à ce groupe. Les punaises connaissent une métamorphose incomplète : les jeunes ressemblent à des adultes miniatures. De nombreuses punaises sont nuisibles. Certaines, comme les pucerons, détruisent les plantes. D'autres transportent des maladies, comme les réduves ou punaises assassins.

Hydromètre

Vélie

Notonecte

Naucore

Nèpe

Il existe de nombreuses espèces de punaises à travers le monde, même au bord de l'eau. Les punaises des lits se cachent le jour et se faufilent la nuit dans notre lit pour nous piquer et sucer notre sang. Les étangs regorgent de punaises aquatiques, à la surface et en profondeur, comme illustré ci-dessus. Les punaises vertes sucent la sève des plantes. Le camouflage des espèces européennes leur permet de se confondre avec leur environnement. Les punaises vertes des tropiques, souvent très colorées, exhalent des odeurs qui éloignent les prédateurs. Les larves de l'aphrophora sécrètent une mousse à l'apparence peu engageante, connue sous le nom de « crachat de coucou », qui les protège des prédateurs.

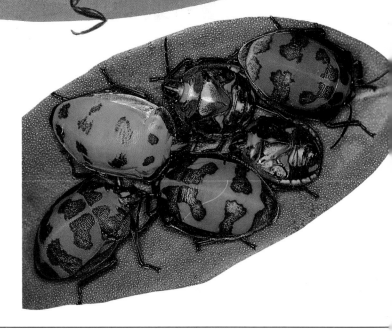

De nombreuses espèces de punaises vivent à la surface des étangs ou sous l'eau. Grâce à leurs longues pattes fines, les vélies et les hydromètres ne s'enfoncent pas dans l'eau. Leurs pattes et leurs antennes leur permettent de détecter les ondes provoquées par un insecte qui coule. Dès qu'ils localisent leur victime, ils la mordent et commencent à lui sucer le sang. Différentes espèces de punaises aquatiques s'attaquent aux têtards, aux larves de coléoptères et à d'autres petits insectes vivant dans l'eau à différentes profondeurs.

Mais les insectes qui vivent dans l'eau doivent respirer. Pour cela, la naucore retient de l'air dans une bulle qui entoure son corps.

Une naissance virginale

Après l'accouplement, les pucerons femelles pondent leurs œufs sur des feuilles. Au printemps, ces œufs éclosent, donnant naissance à des femelles aptères, qui produisent, dès l'été, d'autres femelles aptères, sans être fécondées. L'automne suivant naissent des pucerons ailés, mâles et femelles (à droite). Ceux-ci s'envolent vers d'autres plantes, et le cycle recommence.

Les dytiques (voir page 11) emmagasinent de l'air sous leurs ailes; l'air peut être absorbé par le corps grâce aux stigmates (voir pages 4 et 5). La nèpe (ci-dessus), aussi appelée scorpion d'eau, possède, à l'extrémité de la queue, un long tube respiratoire qu'elle dresse hors de l'eau pour respirer.

Page de gauche:
Ce groupe de punaises arlequins d'Australie se compose de trois mâles rouges, d'une femelle jaune orange et de deux nymphes.

Le chant de la cigale

Par les chaudes soirées d'été dans les régions tropicales, les pays méditerranéens et en Amérique du Nord, la cigale mâle fait entendre son chant. Ce son est produit par un mécanisme « à déclic » (voir page 10) situé sur le thorax. Des lamelles dures, des cuticules, sont tirées vers l'intérieur par un muscle, puis se rouvrent en émettant un déclic. Des séries de déclics sont produites sur différents tons et amplifiées par des sacs à air contenus dans l'abdomen. Des oreilles situées sur l'abdomen permettent aux cigales d'entendre le chant. Les mâles chantent pour attirer les femelles. Celles-ci répondent en recherchant le meilleur chanteur.

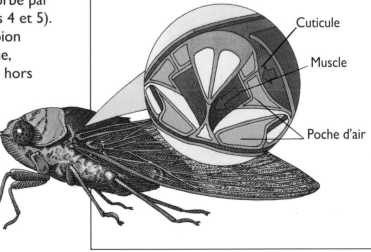

Cuticule

Muscle

Poche d'air

LES COLÉOPTÈRES

Parmi toutes les catégories animales, les coléoptères forment le groupe le plus important. Il existe au moins 370 000 espèces connues et, chaque jour, on en découvre d'autres. Les coléoptères sont des insectes cuirassés : leur tête et leur thorax sont recouverts d'une cuticule solide, de forme étrange, menaçante chez de nombreuses espèces. Malgré leur apparence lourde, la plupart d'entre eux volent parfaitement. Les coléoptères sont des insectes à métamorphose complète (voir page 7).

Certaines espèces de coléoptères sont herbivores (ils mangent des plantes), d'autres sont carnivores (ils mangent de la chair). Certains tuent leur proie pour la dévorer. Beaucoup se nourrissent d'animaux morts ou en décomposition. D'autres se nourrissent d'excréments d'animaux. Des coléoptères nuisibles s'attaquent aux céréales ou aux légumes. Le doryphore peut anéantir les récoltes de pommes de terre. D'autres espèces attaquent la végétation, creusent des galeries dans l'écorce des arbres et propagent des maladies.

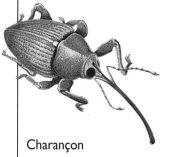

Charançon

Nécrophore

La plupart des coléoptères sont dotés de mâchoires pour mordre et saisir leur proie. Chez les charançons, ces mâchoires sont situées à l'extrémité d'une pièce buccale allongée, le rostre.

Un spectacle lumineux

Les lucioles sont des coléoptères dont l'adulte, mâle ou femelle, est ailé et... lumineux!
Les lucioles s'envoient des signaux qui ressemblent à un code. Ce code varie d'une espèce à l'autre. En Asie du Sud-Est, des arbres entiers s'illuminent ainsi par intermittence de milliers de lumières. Cette lumière provient d'une réaction chimique qui implique une enzyme produisant de l'énergie lumineuse. La luciole est souvent confondue avec le ver luisant, nom donné au lampyre femelle (chez cet insecte, seule la femelle, non ailée, est phosphorescente).

Le bousier

Le bousier femelle roule une boule de bouse jusqu'à son terrier. Elle dépose ses œufs dans ces excréments et les larves s'en nourrissent. Ce scarabée était sacré chez les anciens Égyptiens. Ils voyaient en lui le symbole de Rê, dieu du Soleil, qui, croyaient-ils, faisait rouler le soleil jusqu'à eux chaque jour. Les bijoutiers égyptiens fabriquaient des scarabées en or, lapis-lazuli et pierres semi-précieuses.

Staphylin   Hanneton

De nombreuses espèces de coléoptères possèdent des mâchoires et des cornes menaçantes qui servent à effrayer soit les prédateurs, soit les autres mâles lors de combats. Les lucanes sont aussi appelés cerfs-volants (à gauche); le mâle dispose de mandibules dentelées qui rappellent les bois du cerf. Quand ils se battent, chacun essaie de renverser son adversaire. Chez les coléoptères, les ailes antérieures forment des élytres colorés. Lorsque l'insecte ne vole pas, ceux-ci se replient pour protéger les délicates ailes postérieures. En vol, ces élytres se soulèvent.

_____ Élytre

Les engins inspirés par les insectes

Certains ingénieurs se sont inspirés des insectes pour concevoir des machines. À la fin des années 1940, Volkswagen remporta un énorme succès avec sa voiture dont la forme arrondie rappelle celle de la coccinelle. Plus de 19 millions de « Coccinelle » furent exportées dans près de 150 pays du monde entier.

De mauvais augure

L'horloge de la mort est un coléoptère dont les larves vivent dans le bois mort. En période de reproduction, les mâles et les femelles s'appellent, depuis les galeries qu'ils ont creusées, en frappant leur tête sur le bois. À l'époque où sévissaient de nombreuses maladies mortelles, les gens croyaient que ce sinistre tic-tac annonçait un décès dans la famille et que le coléoptère comptait les minutes qui restaient à vivre à une personne.

LES MOUCHES

Les mouches sont des insectes peu populaires. Beaucoup ne sont pas très belles, certaines ont des habitudes qui nous dégoûtent; quelques-unes sont les vecteurs des plus terribles maladies. Mais les mouches sont aussi utiles: elles recyclent les excréments et les cadavres d'animaux; elles pollinisent les fleurs.

Les mouches, qui forment avec les moustiques l'ordre des diptères, sont les seuls insectes à ne posséder que deux ailes, leurs ailes postérieures étant devenues des balanciers.

Les mouches s'adaptent à tout; on en trouve dans le monde entier, même sur l'immensité glacée de l'Arctique.

Les mouches et les maladies

Les mouches suceuses de sang transmettent certaines des plus terribles maladies tropicales. Les mouches tsé-tsé transmettent la maladie du sommeil. Les victimes éprouvent une fatigue intense et meurent si elles ne sont pas soignées. La maladie de Chagas est transmise à l'homme par des punaises de la famille des réduviidés (Amérique du Sud). La malaria est transmise par les moustiques. Certains phlébotomes peuvent transmettre des maladies infectieuses, comme le kala-azar (ou leishmaniose), une maladie qui détruit le foie et provoque des ulcérations de la peau.

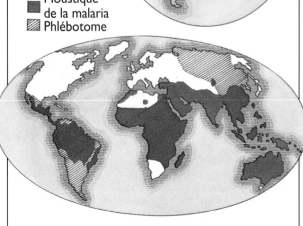

■ Mouche tsé-tsé
□ Réduve

■ Moustique de la malaria
▨ Phlébotome

Syrphe

Comme toutes les mouches, la tipule possède des balanciers, des ailes robustes et un long thorax. Les syrphes sont capables des manœuvres les plus périlleuses dans les airs: ils arrivent à tourner sur eux-mêmes et à voler à reculons, ainsi qu'à faire du surplace.

Tipule

Les mouches se nourrissent à peu près de tout: de nectar, de déchets, de chair et de sang d'animaux vivants ou morts (elles sont nécrophages). Elles possèdent une trompe, qui leur sert à sucer et, parfois, à percer leur proie. Les larves de mouches, souvent appelées asticots (en haut à gauche), vivent dans des endroits humides. Les mouches connaissent une métamorphose complète pour passer au stade adulte. Elles sont adaptées au vol. Leurs balanciers permettent de contrôler leur vitesse et leur direction. Les ailes sont munies d'articulations spéciales qui tournent automatiquement les élytres lorsqu'elles battent, pour assurer une plus grande portance. Le thorax élargi est tapissé de muscles spéciaux qui se contractent en cadence.

Marcher au plafond

Les pattes de la mouche domestique et de la mouche bleue sont munies de griffes et de coussinets-ventouses qui permettent à ces insectes de marcher sur une vitre ou au plafond, la tête en bas. Les poils qui recouvrent leur corps sont si sensibles aux mouvements de l'air que les mouches perçoivent le danger, un tue-mouches par exemple, juste à temps pour s'envoler.

Griffe

Coussinet-ventouse

L'hygiène

Lorsqu'il y a des mouches dans une pièce, il est important de recouvrir les aliments. En effet, ces insectes se nourrissent de déchets et d'excréments. Leurs pattes et leurs pièces buccales sont couvertes de bactéries qu'elles peuvent déposer sur les aliments ou sur les plans de travail de la cuisine.

Voici une tipule fossilisée. Elle s'est fait piéger dans de la résine de pin. Avec le temps, la résine s'est solidifiée en ambre.

Des plantes attrape-mouches

La dionée pousse dans les marécages d'Amérique du Nord, une terre très pauvre. Pour s'assurer un apport en éléments nutritifs, cette plante capture des mouches. Ses feuilles sont couvertes de poils gluants et sensibles. Lorsqu'un insecte s'y pose, il touche les poils. Les deux moitiés de la feuille se referment brusquement : l'insecte est pris au piège !

La métamorphose

Depuis des siècles, le thème du changement d'une forme en une autre a inspiré de nombreux artistes et écrivains. Il y a 2 000 ans, le poète latin Ovide écrivit un long poème intitulé *Métamorphoses*. Basé sur des récits mythiques, ce poème met en scène, notamment, Daphné, nymphe aimée d'Apollon, qui s'est transformée en laurier pour détourner ses faveurs, ainsi que Narcisse, qui s'est métamorphosé en fleur.

L'idée que des humains pourraient se transformer en insectes suscite l'horreur et la fascination. Un auteur tchèque, Franz Kafka, relata l'étrange histoire d'un homme qui s'éveilla, un matin, transformé en un immense insecte. Le film d'horreur *La Mouche* met en scène un scientifique qui se transforme petit à petit en mouche.

Les feuilles de la dionée sécrètent un suc contenant une enzyme qui « digère » l'insecte. Le corps liquéfié est alors absorbé lentement.

LES PAPILLONS DIURNES ET NOCTURNES

Les papillons diurnes (de jour) et nocturnes (de nuit) portent le nom scientifique de lépidoptères, qui signifie « ailes à écailles ». Leurs ailes sont couvertes de minuscules écailles, placées comme des tuiles. Certaines écailles ont des couleurs magnifiques, d'autres réfractent la lumière. Les papillons diurnes sont plus colorés que les nocturnes. Au repos, ils ramènent leurs ailes verticalement. Leurs antennes se terminent par une petite massue. Lorsqu'ils se reposent, les papillons nocturnes ont leurs ailes, de couleur terne, étalées à plat sur le dos. Les antennes de certains papillons nocturnes mâles ont l'aspect d'une plume. Les papillons diurnes et nocturnes subissent une métamorphose complète (voir page 7).

Le mimétisme entre papillons

Les marques colorées qui ornent les ailes de certains papillons ont pour but d'éloigner les prédateurs. C'est de cette manière que les insectes venimeux font connaître leur mauvais goût. Les oiseaux apprennent à reconnaître et à éviter ces espèces. Différentes espèces de papillons d'une même région ont des dessins semblables et des formes d'ailes identiques.

Au Pérou, deux espèces venimeuses, les papillons *Heliconius* et *Podotricha*, se ressemblent. C'est ce que l'on appelle un mimétisme mullérien. D'autres papillons non venimeux « trichent » en imitant les marques d'avertissement des espèces empoisonnées. En Amérique du Nord, le sylvain, un papillon inoffensif, ressemble ainsi au monarque, venimeux (mimétisme batésien).

Telesiphe podotricha

Telesiphe heliconius

Papillon tête de chouette (*Caligo oileus*)

Siderone galanthis

Sylvain

Monarque

Les papillons sont des animaux à sang froid, comme tous les insectes. La température de leur corps est la même que celle de leur environnement puisque leur corps est incapable de produire de la chaleur, contrairement aux animaux à sang chaud comme les mammifères et les oiseaux. Les papillons étalent leurs ailes au soleil pour se réchauffer. Les papillons nocturnes ont le corps recouvert de poils aplatis qui retiennent la chaleur qu'ils absorbent le jour afin de pouvoir voler la nuit.

Des déguisements peu ragoûtants

Les jeunes de nombreux papillons diurnes et nocturnes se camouflent, ou se déguisent, sous la forme d'objets non comestibles pour éviter d'être dévorés par des prédateurs. Les chenilles du géomètre ressemblent à des brindilles pour passer inaperçues. La chrysalide des théclines et la chenille de ce sphinx d'Amérique centrale (à droite) ressemblent à des fientes d'oiseaux, peu appétissantes...

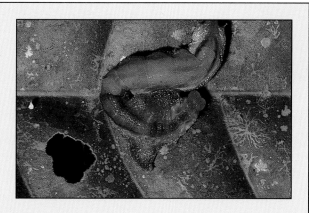

Sphinx

Morpho
(*Morpho menelaus*)

Dasyopthalma rusina

L'adaptation à l'industrie

Le phalène du bouleau illustre comment certaines espèces d'insectes peuvent se transformer pour s'adapter à un environnement en mutation. De couleur crème à tâches sombres, ce papillon était difficile à distinguer sur l'écorce des arbres. Après la révolution industrielle du 19ᵉ siècle, une nouvelle forme, beaucoup plus sombre, devint commune ; de la sorte, le papillon pouvait mieux se confondre avec l'écorce couverte de suie.

Le peintre des insectes

Jean Henri Fabre (1823-1915) vécut en Provence, en France. Instituteur de village, il s'intéressa à l'entomologie, l'étude des insectes. Mais il ne collectionna pas d'insectes morts, comme de nombreux naturalistes de l'époque. Il étudia leurs habitudes en les observant dans la nature.

Fabre écrivit de nombreux ouvrages sur le comportement des insectes. Il laissa également de magnifiques aquarelles des espèces qu'il étudia.

Madame Butterfly

Cet opéra de Puccini, composé en 1904, raconte l'histoire d'un amour tragique. Pinkerton, un officier de marine américain en poste au Japon, épouse la jolie Butterfly (*butterfly* signifie papillon en anglais). Mais il la quitte pour retourner dans son pays. Il revient plus tard au Japon, accompagné d'une autre femme, son épouse américaine.

LES ABEILLES ET LES GUÊPES

Les abeilles, les guêpes et les fourmis appartiennent au groupe des hyménoptères, mot qui signifie « ailes transparentes ». Les abeilles et les guêpes ont deux paires d'ailes ainsi qu'une « taille » étroite. Les couleurs jaunes et noires de certaines espèces avertissent qu'elles sont munies d'un dard venimeux. Ces insectes subissent une métamorphose complète. De nombreuses espèces sont solitaires, mais les abeilles, les bourdons et les guêpes communes vivent en colonies où les œufs et les larves sont soignés par la « communauté ».

Toutes les abeilles et les guêpes construisent un nid pour y pondre leurs œufs. L'abeille commune vit dans un nid, qu'elle aménage dans un trou d'arbre, ou dans une ruche conçue par l'homme. La reine s'unit avec l'un des faux bourdons (abeilles mâles) dans les airs, puis pond ses œufs dans la ruche. La plupart deviendront des ouvrières stériles. Les ouvrières construisent et réparent le nid, récoltent le pollen et le nectar qui seront transformés en miel, nourriront les larves et subviendront aux besoins de la ruche en hiver.

Un travail de construction
Les abeilles sécrètent de la cire qui suinte de leur abdomen. Elles la mâchent et la façonnent en forme de cellules parfaitement hexagonales disposées en rayons.

La guêpe poliste édifie un nid de papier en mastiquant des fibres de bois (ci-dessous).

Guêpe

La danse des abeilles
Lorsqu'une abeille butineuse, chargée de pollen et de nectar, retourne à la ruche, les autres ouvrières se rassemblent pour apprendre où se trouve cette nouvelle source de nourriture. L'abeille trace verticalement un cercle, qui devient ensuite un huit. Elle fait osciller son abdomen en passant par le centre du chiffre. L'angle qu'elle dessine par rapport à la verticale est le même que celui qui existe entre le soleil, la ruche et la source de pollen. Le nombre de cercles décrits par l'abeille indique à quelle distance les fleurs sont situées.

Danse circulaire

Au cours de sa danse circulaire, la butineuse s'arrête pour donner aux autres abeilles des échantillons de pollen et de nectar.

Danse en huit

La reine passe ses journées
à pondre des œufs dans
les alvéoles de la ruche.
Les ouvrières la nourrissent
et font même sa toilette.

Une cuillerée de miel
Avant que la canne à sucre soit
importée en Europe,
les hommes utilisaient le miel
pour adoucir leurs plats. Des
peintures sur des tombeaux
égyptiens représentent du
miel et de la cire récoltés
dans des ruches.

La pollinisation
Pour que les graines d'une fleur se
développent, il faut qu'elles soient
fécondées par le pollen de la même fleur
ou d'une autre fleur. Ce pollen peut être
dispersé par le vent ou transporté sur le
corps de certains insectes. Les abeilles
sont attirées par les couleurs et le parfum
du nectar sucré des fleurs. Quand elles
pénètrent dans une fleur, leur corps velu
est saupoudré de pollen. En allant butiner
d'autres fleurs, elles transportent ainsi le
pollen qui féconde (pollinise) la fleur. Pour
l'agriculteur, les abeilles sont importantes
pour cette activité de pollinisation.

La mode « taille de guêpe »
La mode des robes à la « taille
de guêpe » fut lancée
par le couturier français
Charles Worth. Un corset
très serré marquait la taille
des femmes. Mais cette
mode était tellement
inconfortable que, parfois,
certaines femmes
tombaient évanouies.

Des corbeilles à pollen
Quand l'abeille butine, du pollen s'accroche à son
corps velu. Elle le rassemble à l'aide des brosses
de poils raides situées sur ses pattes postérieures.
Puis elle place la boule de pollen dans une sorte
de corbeille, elle aussi située sur les pattes.

LES FOURMIS ET LES TERMITES

Comme les abeilles et les guêpes, les fourmis appartiennent au groupe des hyménoptères. Les termites (appelés, à tort, fourmis blanches) font partie de l'ordre des isoptères, ce qui signifie «ailes égales». Néanmoins, les fourmis et les termites ont un type de vie très semblable. Ce sont des insectes sociaux, vivant en colonies, où chaque insecte doit effectuer une tâche particulière. La plupart ne se reproduisent pas; ils consacrent leur vie à prendre soin de leurs congénères. La reine pond des œufs. Les ouvrières construisent, réparent et défendent le nid.

Des castes bien distinctes

Les diverses castes sont chargées de tâches différentes dans la colonie. Les ouvrières soignent la reine (à gauche), les larves et les pupes (à droite). D'autres nettoient le nid (en haut à droite) et vont à la recherche de nourriture.

Reine

Fourmis ouvrières

Pupe

Des fourmis sociales

La plupart des fourmis ont une mauvaise vue, mais un sens de l'odorat très développé. Elles communiquent avec les autres membres de la colonie par le toucher et par les phéromones qu'elles produisent: lorsqu'une fourmi trouve de la nourriture, elle laisse une trace odorante pour permettre à ses congénères de la trouver. Si un endroit du nid est abîmé, les ouvrières produisent une odeur différente, ce qui incite les autres à venir aider à la réparation. Les fourmis d'une colonie se reconnaissent par leur odeur et attaquent tout intrus d'une colonie différente. Elles se défendent en mordant et en injectant de l'acide formique dans la plaie qu'elles ont faite. La nourriture des fourmis est très variée. Une fourmi est capable de soulever une charge qui pèse plusieurs fois son propre poids.

Fabrique une maison de fourmis

Observe les fourmis en leur construisant « une maison » à l'aide d'un récipient en verre. Recouvre l'extérieur du récipient de papier noir. Remplis-le à moitié de terre et place des fourmis noires ou rouges que tu trouves au jardin. Après quelques jours, retire le papier et observe les galeries creusées dans la terre.

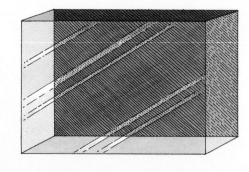

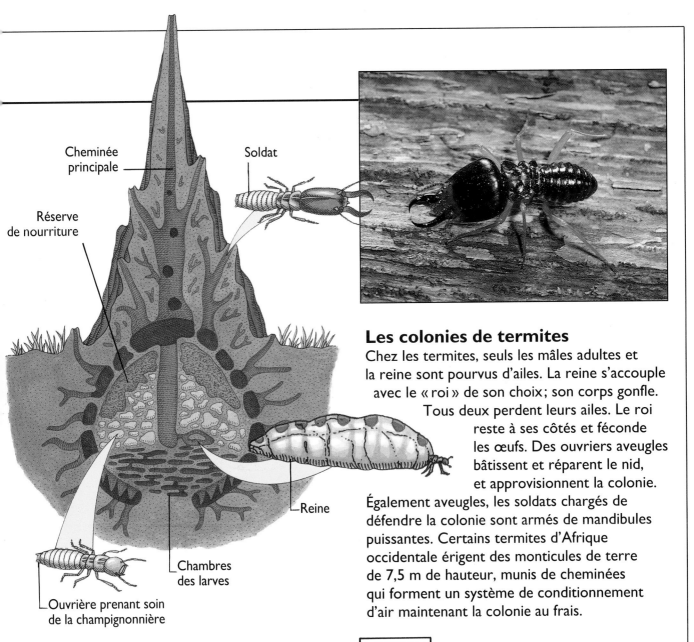

Cheminée
principale

Soldat

Réserve
de nourriture

Reine

Chambres
des larves

Ouvrière prenant soin
de la champignonnière

Les colonies de termites

Chez les termites, seuls les mâles adultes et
la reine sont pourvus d'ailes. La reine s'accouple
avec le « roi » de son choix; son corps gonfle.
Tous deux perdent leurs ailes. Le roi
reste à ses côtés et féconde
les œufs. Des ouvriers aveugles
bâtissent et réparent le nid,
et approvisionnent la colonie.
Également aveugles, les soldats chargés de
défendre la colonie sont armés de mandibules
puissantes. Certains termites d'Afrique
occidentale érigent des monticules de terre
de 7,5 m de hauteur, munis de cheminées
qui forment un système de conditionnement
d'air maintenant la colonie au frais.

Nourris tes fourmis de fruits mûrs, de viande ou de
jambon et donne-leur des feuilles fraîches et de l'eau sur
du papier essuie-tout humide. Place ton récipient dans
un endroit frais et couvre-le, quand tu n'observes pas les
insectes, de manière à ce que de l'air puisse y pénétrer
sans que les fourmis s'échappent. Si tu es parvenu à
capturer une reine, la colonie devrait se développer
indéfiniment et pourrait même produire un essaim
de fourmis volantes en été. Laisse-les s'échapper
pour qu'elles créent une nouvelle fourmilière.

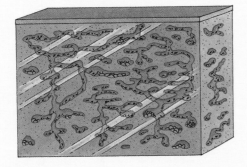

Les fourmiliers du monde

Les fourmis et les termites sont un
régal pour certains animaux dotés
de griffes solides pour détruire les nids et
d'une longue langue collante pour aspirer
les insectes. C'est le cas de l'oryctérope,
qui vit en Afrique du Sud, et du pangolin
d'Asie. Le fourmilier marsupial rayé vit en
Australie. En Amérique centrale et du Sud,
le tatou et le grand fourmilier (ci-dessous)
vivent dans la savane.

LES INSECTES ET LES HOMMES

Les hommes ont vécu avec les insectes depuis le début des temps. Nos ancêtres devaient probablement déjà lutter contre les morsures de puces et les blattes nécrophages. De nombreux insectes sont de véritables fléaux ; certains propagent des maladies, d'autres endommagent les bâtiments ou les récoltes. Mais les insectes peuvent aussi être utiles. Ils sont une source de nourriture pour les oiseaux et les reptiles. Certains pollinisent les fleurs, nous débarrassent des déchets, nous donnent le miel et la soie ou sont un plaisir pour les yeux et les oreilles. Hélas, à mesure que les espaces sauvages se raréfient, certaines espèces d'insectes disparaissent totalement.

Les insectes deviennent un fléau lorsque leur nombre est tellement élevé qu'ils commencent à menacer la santé et le confort des hommes. Il existe des milliers d'insectes qui peuvent devenir des fléaux, de la mouche domestique et du pou de la tête (qui nous agacent) aux moustiques et sauterelles (qui peuvent provoquer la mort et dévaster des régions entières). Les insectes deviennent parfois des fléaux par la faute de l'homme qui choisit de cultiver à grande échelle les aliments dont ils se nourrissent, leur offrant ainsi des hectares d'un festin facile.

Pou de la tête

Œuf (lente)

Des fléaux pour l'agriculture

Il existe de nombreux insectes nuisibles sur notre planète. Certains dévorent les racines ou les feuilles des plantes, d'autres leur transmettent une maladie virale. Résultat: la récolte est mauvaise, ce qui entraîne des pertes financières dans les pays riches et la famine dans les pays en voie de développement. Le riz et le maïs constituent deux des plus importantes cultures céréalières. Certaines sauterelles s'attaquent aux rizières, d'autres aux cultures de maïs. Au 19e siècle, le doryphore détruisait les récoltes de pommes de terre, jusqu'au jour où l'on parvint à l'éliminer par l'utilisation massive de pesticides.

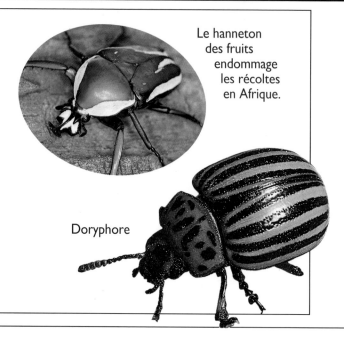

Le hanneton des fruits endommage les récoltes en Afrique.

Doryphore

Le bombyx dépose ses œufs sur les feuilles du mûrier. Lorsque les chenilles éclosent, elles se nourrissent des feuilles.

Des insectes utiles

Certains insectes sont très utiles pour l'homme. Sans les abeilles, nous n'aurions pas de miel, ni de cire (voir pages 24-25). Le carmin – un colorant alimentaire rouge déjà utilisé par les Aztèques il y a 600 ans – est extrait du corps broyé d'une espèce de cochenille qui vit sur des cactus d'Amérique du Sud. Les scientifiques modernes élèvent une petite mouche, la drosophile, afin de comprendre les maladies génétiques, c'est-à-dire transmises des parents à leurs enfants.

Cochenilles

Comme certaines autres larves d'insectes, la chenille du bombyx, aussi appelée ver à soie, fabrique de la soie en s'enroulant dans un cocon au moment de se transformer en chrysalide. Les Chinois commencèrent à élever le ver à soie il y a 5 000 ans. La soie d'un cocon a 0,025 mm d'épaisseur et plus de 1 km de long. Le fil sera déroulé, traité et façonné en un tissu très recherché. La soie est la plus solide des fibres naturelles, chaude par temps froid, fraîche par temps chaud et, de plus, résistante au feu.

Les insecticides

Pendant des siècles, les hommes ont utilisé des poisons pour tuer les insectes. Les progrès de la chimie ont permis la production de produits comme le D.D.T., qui détruit les insectes nuisibles… mais également d'autres animaux. Aujourd'hui, l'industrie fabrique des insecticides qui n'attaquent qu'une espèce particulière. On tend également à utiliser des insectes prédateurs qui se nourrissent de l'espèce nuisible. Ainsi, les coccinelles réduisent la population de pucerons (ci-dessous), tandis que de minuscules guêpes parasites réduisent le nombre de mouches blanches des serres.

La peste noire

La peste bubonique est une maladie mortelle provoquée par une bactérie. Ce sont les puces qui se sont nourries du sang de rats infectés qui la transmettent à l'homme. Au 6e siècle, cette maladie ravagea l'Europe et l'Asie et fit 100 millions de victimes. Une autre épidémie, connue sous le nom de peste noire, tua la moitié de la population d'Europe au 14e siècle.

CLASSIFICATION DES INSECTES

Les scientifiques classent les insectes en différents groupes qui partagent des caractéristiques communes, comme l'aspect extérieur et le comportement. Tous les insectes appartiennent au règne animal sous la classe *Insecta*. Cette classe se subdivise en 33 ordres actuels, illustrés ci-dessous à l'exception des notoptères, des mallophages et des homoptères (cigales). Le nom des ordres est indiqué en caractères gras. Les ordres sont subdivisés en genres, et les genres en espèces proches. Le tableau ci-dessous illustre un insecte typique de chaque ordre, indiqué en caractère normal.

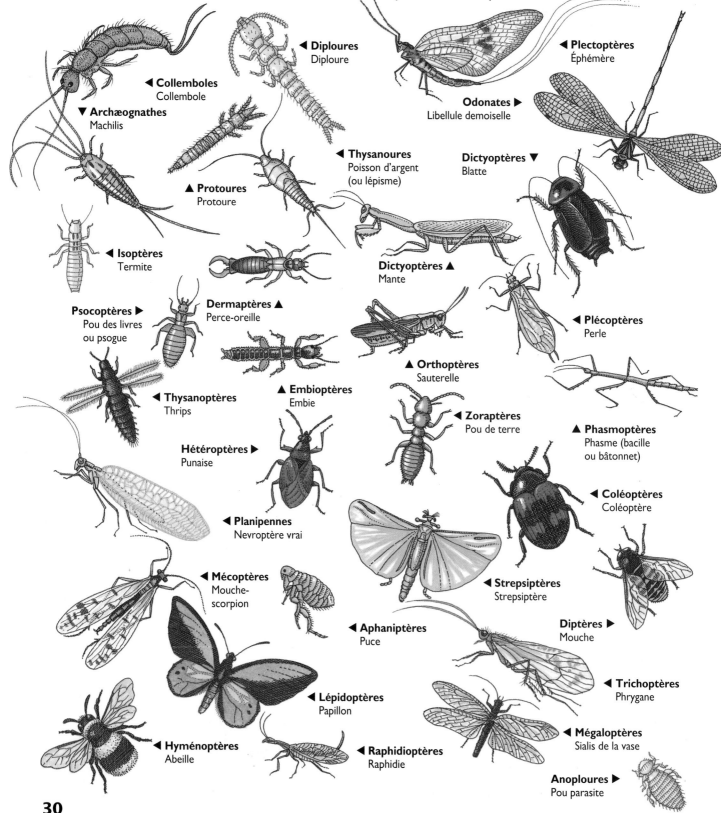

◄ **Diploures**
Diploure

◄ **Collemboles**
Collembole

▼ **Archæognathes**
Machilis

▲ **Protoures**
Protoure

◄ **Thysanoures**
Poisson d'argent
(ou lépisme)

Plectoptères ►
Éphémère

Odonates ►
Libellule demoiselle

Dictyoptères ▼
Blatte

Dictyoptères ▲
Mante

◄ **Isoptères**
Termite

Psocoptères ►
Pou des livres
ou psogue

Dermaptères ▲
Perce-oreille

◄ **Plécoptères**
Perle

◄ **Thysanoptères**
Thrips

▲ **Embioptères**
Embie

▲ **Orthoptères**
Sauterelle

◄ **Zoraptères**
Pou de terre

▲ **Phasmoptères**
Phasme (bacille
ou bâtonnet)

Hétéroptères ►
Punaise

◄ **Coléoptères**
Coléoptère

◄ **Planipennes**
Nevroptère vrai

◄ **Mécoptères**
Mouche-
scorpion

◄ **Strepsiptères**
Strepsiptère

◄ **Aphaniptères**
Puce

Diptères ►
Mouche

◄ **Lépidoptères**
Papillon

◄ **Trichoptères**
Phrygane

◄ **Hyménoptères**
Abeille

◄ **Raphidioptères**
Raphidie

◄ **Mégaloptères**
Sialis de la vase

Anoploures ►
Pou parasite

GLOSSAIRE

Abdomen Partie arrière du corps d'un insecte qui contient les organes de la digestion, de l'excrétion et de la reproduction

Antennes Paire d'organes allongés et mobiles, se trouvant sur la tête des insectes. Très sensibles, les antennes servent au toucher, à l'odorat et au goût.

Camouflage Mouchetures, couleurs et formes sur le corps d'un insecte qui lui permettent de se confondre avec son environnement, et donc de passer inaperçu

Élytres Paire d'ailes cornées qui recouvrent les ailes d'un coléoptère

Entomologie Étude des insectes

Enzyme Substance organique qui provoque ou accélère les réactions chimiques

Galle Gonflement qui apparaît sur certaines plantes lorsque celles-ci sont attaquées par des insectes parasites, comme de minuscules guêpes

Labium Partie inférieure de la bouche d'un insecte, ou « lèvre » inférieure

Labrum Partie supérieure de la bouche d'un insecte, ou « lèvre » supérieure

Larve Premier stade du développement des jeunes insectes après la sortie de l'œuf, en une forme qui diffère souvent totalement de celle de l'insecte adulte. Les chenilles sont les larves des papillons.

Mandibules La paire supérieure et la plus robuste des pièces buccales de l'insecte, qui sert à saisir et à broyer les aliments

Maxilles Les deuxième et troisième paires de pièces buccales de l'insecte, qui servent à goûter les aliments. Les lèvres inférieure et supérieure mâchent les aliments.

Métamorphoses Changements successifs d'aspect et de mode de vie de certains animaux, tels que les insectes, depuis l'état de larve jusqu'à celui d'insecte adulte. Le cycle des métamorphoses peut être complet ou incomplet.

Migration Voyage entrepris par un animal pour s'éloigner de conditions difficiles comme le froid, la chaleur intense ou le manque de nourriture et d'eau

Nymphe Au cours de la métamorphose, étape intermédiaire entre la larve et l'imago (insecte parfait)

Parasite Plante ou animal qui se nourrit d'une autre plante ou d'un autre animal toujours vivant

Phéromones Odeurs spéciales libérées par certains animaux à certaines périodes, comme durant la reproduction, qui permettent de communiquer un message

Prédateur Animal qui chasse et tue d'autres animaux (proies) pour se nourrir

Pupe Stade intermédiaire entre la larve et l'insecte adulte (équivalent alors à chrysalide), ou enveloppe (ou cocon) dans laquelle se fait sa dernière transformation

Rostre Partie de la bouche de certains insectes, comme les punaises, allongée en forme de tube rigide, semblable à une aiguille, qui sert à percer et à aspirer des liquides nutritifs

Squelette externe Peau extérieure dure qui recouvre le corps des insectes, protège et soutient les parties souples

Stigmates Orifices dans le squelette externe qui débouchent sur les voies respiratoires à l'intérieur du corps de l'insecte

Thorax Partie centrale du corps d'un insecte, à laquelle sont attachées les ailes et les pattes

Trompe Partie de la bouche de certains insectes, allongée en forme de tube, qui sert à aspirer le nectar des fleurs

INDEX

abdomen 4, 5, 14, 15, 17, 24, 31
abeilles 5, 12-15, 24-25, 29, 30
accouplement 6, 12, 17, 27
adulte, insecte 4, 6-9, 11, 16, 18, 20, 27
ailes 4-7, 10, 12, 13, 16-20, 22, 24, 26, 27
antennes 4, 7, 12, 13, 17, 20, 31
asticots 6, 20

balanciers 10, 12, 20
blattes 4, 6, 28, 30
bombyx 13, 29
bouche 4, 8, 9
bourdon 10, 15, 24

camouflage 4, 14, 16, 31
cerveau 5, 12, 20
chaînes alimentaires 8
chenilles 6-8, 10, 15, 23, 29
chrysalides 7, 9, 23, 29
cigales 16, 17
coléoptères 5, 7, 9, 10, 15, 17-19, 30
communication entre insectes 26
corps 4, 5, 9-14
couleurs 9, 12, 14, 22-25
criquet 6, 9, 10, 13
cuticule 4, 17, 18
cycle biologique 6, 7, 17

dards 14, 15, 24
défense 14, 15, 26, 27

élytres 10, 16, 19, 20, 31
entomologie 23, 31
enzymes 15, 18, 21, 31

faux bourdon 24
fleurs 9, 10, 13, 20, 21, 24, 25, 28
fourmis 5, 8, 12, 15, 24, 26-27

galle 6, 31
goût 12, 14, 22
guêpes 6, 7, 14, 24-25, 29

habitudes alimentaires 8, 9, 16, 17, 20
hannetons 19, 28
horloge de la mort 19

insectes
  comme nourriture 9, 27
  – aquatiques 11, 16, 17
  – lumineux 18
  – nuisibles 9, 16, 18, 19, 28, 29
  – sociaux 26, 27
  – suceurs 8, 9, 16, 17, 20
  – utiles 28, 29
  – venimeux 14, 15, 22, 24
insecticides 28, 29

labium 8, 9, 31
labrum 8, 31
larves 6-9, 11, 14, 16-20, 24, 26, 27, 29, 31
libellules 4, 6, 12, 30
lucioles 18

mandibules 8, 9, 19, 27, 31
maxilles 8, 31
métamorphoses 6-8, 16, 18, 20-22, 24, 31
migration 11, 31
mimétisme 22
monarque 8, 11, 22
mouches 5, 9, 10, 12, 15, 20-21, 28-30
  – blanches des serres 29
  – bleues de la viande 5, 21
  – domestiques 12, 21, 28
  – tsé-tsé 20
moustiques 9, 20, 28
mue 4, 6, 7

nectar 9, 13, 20, 24, 25
nèpe 16, 17
nids 24, 26, 27
nymphes 6, 17, 18, 21, 31

odorat 12, 26

œil 4, 12, 13
œufs 6-9, 11, 17-19, 24-29
oiseaux 4, 12, 15, 22, 23, 28
oreille 13, 17, 28
organes des sens 12, 13, 21, 26
ouïe 12, 13

papillons diurnes et nocturnes 5-9, 11, 13, 22-23
parasites 29, 31
pattes 4, 5, 7, 10, 11, 13, 15, 17, 21, 25
peau 4, 6, 7, 9, 14, 15, 20
phéromones 13, 26, 31
pièces buccales 4, 8, 9
plantes 4, 6, 8, 9, 11, 16, 18, 21, 28
porteurs de maladies 8, 16, 20, 28, 29
prédateurs 11, 14-16, 19, 22, 23, 29, 31
pucerons 16, 17, 29
puces 11, 28-30
punaises 6, 16-17, 20, 30
pupe 7, 26, 31

réduve 16, 20
reproduction 5, 6, 9, 17, 19, 26
rostre 16, 18, 31
ruche 14, 24, 25

sauterelles 16, 28, 30
squelette externe 4, 5, 31
stigmates 4, 5, 17, 31

température du corps 22
termites 26-27
tête 4, 5, 12, 18, 19, 21, 27, 28
thorax 4, 5, 10, 11, 20, 31
toucher 12, 26
trompe 9, 16, 20, 31

vélie 16
ver luisant (lampyre femelle) 4, 18
vol 6, 10-12, 18-20, 22
vue 12, 13, 26

Origine des photographies:
la plupart des photographies proviennent de Bruce Coleman Ltd, excepté les suivantes: couverture (en bas), pages 25 (en haut) et 29 (en haut à gauche): Roger Vlitos; pages 3 (au centre) et 19 (en haut): Robert Harding Picture Library; page 5 (en haut): Hulton Deutsch; pages 8 (en haut) et 13 (en haut): Science Photo Library; pages 9 (à gauche), 25 (en bas) et 28 (en bas à gauche): Planet Earth Pictures; page 10 (en bas): H. Leverton Ltd; pages 14 et 19 (en bas): Frank Spooner Pictures; pages 17 (en bas) et 29 (en haut à droite): Oxford Scientific Films; page 18 (en haut): Spectrum Colour Library.